这本书的小主人是：

_____

趣味认知故事

快乐的学校

【美】美国芝麻街工作室/著·绘 杨丕/译

湖北长江出版集团 湖北美术出版社

a Bb Cc Dd Ee Ff Gg Hh Ii Jj Kk Ll Mm

大家好！艾摩昨天可忙了！他跑遍了所有的邻居家，去找一只黑色的小狗。

可是，今天艾摩要上学了。

这里是艾摩的学校，每天早上，艾摩都到这里来上课。这位是艾摩的老师——格拉汉姆女士。艾摩可喜欢学校了！

这个是艾摩的小柜子，上面写着艾摩的名字呢。艾摩的背包挂在这个挂钩上，演讲课要用的东西放在上面的架子上。你能猜到艾摩会带些什么东西去上演讲课吗？这可是个惊喜呀！

艾摩非常喜欢用积木搭房子呢!

全都推倒重来吧!

艾摩还喜欢和贝蒂一起玩游戏。

我是牛仔胡迪！马儿快跑！

在学校里，我们可以学到许多东西。我们会学习认识各种颜色和形状，还会学习怎么数数。你能和我一起数一数这些玩具车吗？1、2、3、4、5、6、7、8、9、10！

我们学会了唱ABC字母歌。

学了这么多东西后，艾摩觉得很饿了。现在是吃点心的时间，我们用小纸杯喝果汁。艾摩很小心，不会把果汁弄得到处都是。我们还可以吃奶酪、脆饼和桔子片。吃完了以后，大家都来帮忙，把餐桌收拾得干干净净。

每天，我们都会在游乐场里玩耍。厄尼和伯特在玩跷跷板，一会儿上来，一会儿下去。格罗弗在玩滑滑梯。

艾摩喜欢玩荡秋千！可是，艾摩还在想着那只黑色的小狗。它会去哪儿了呢？

现在到了演讲课的时间了！你看到艾摩的袋子里有什么东西了吗？一块宠物狗的饼干！"你们在芝麻街上见到过一只走丢的小黑狗吗？"

佰特　贝蒂　厄尼

现在，回家的时间到了。再见了，格拉汉姆女士！再见了，朋友们，我们明天见吧！

跟艾摩学单词

school （学校）

学校是人们学习知识的地方。
你有朋友在学校上学吗？

白天刚开始的时候就叫早晨。
早晨的时候，你会吃什么东西呢？

morning （早晨）

cubby （狭小的地方）

很小的空间，比如柜子里的
一个小格子，你可以把自己的东
西放在里面。
你会在柜子的小格子里放什
么东西呢？

架子有的是木头做的，有的是金属
做的，它通常会靠在墙边上，你可以把
东西放在架子上面。
你会在架子上放些什么东西呢？

shelf （架子）

blocks （积木）

积木是一些木头的或者塑料
的玩具，它们有各种各样的形
状，你可以用积木堆一座房子。
你还会用积木做什么？

数数就是按照顺序，把数字一个接一个地往下数：1、2、3、4、5、6……

数一数这本书里一共有几张小狗的图片。

count（数数）

---

snack（零食）

吃饭时间以外吃的那些小食品就叫零食。

你最喜欢吃什么零食呢？

把脏衣服洗干净，或者把一些东西整理得整整齐齐的。

你做清洁的时候，首先会做什么呢？

clean（做清洁）

---

seesaw（跷跷板）

跷跷板是一种玩具设施，它有两头，一边可以坐一个人，然后一会儿这边往上，一会儿那边往下。

你的声音可以像跷跷板一样忽高忽低吗？

饼干是一种脆脆的食品。宠物狗饼干是专门喂给小狗吃的。

故事中的这块狗饼干长得像什么呢？

biscuit（饼干）

---

backpack（背包）

背包是可以背在身上的包包，它通常有两条背带，刚好可以固定在你的肩膀上。

你会在背包里面装什么东西呢？

大鸟喜欢的单词

shapes （形状）

形状就是物体的轮廓和外形。积木有各种各样的形状：长方形、正方形、三角形、半圆形、圆柱形。

说说你周围的东西都是什么形状的。

学习就是了解和认识一些事情。人们到学校去，就可以了解关于这个世界的知识。

今天你学了什么？

learn （学习）

hungry （饿）

饿的时候你会很想吃东西。如果早餐的时候你没有吃东西，那么在吃午餐之前，你可能就会很饿了。

如果还没有吃晚餐的时候你饿了，你会想吃些什么零食呢？

neighborhood （邻居）

住在你家附近的人们。艾摩的邻居都是他的好朋友。

你会和你的邻居一起去上学吗？

你认识下面这些东西吗？

下面这些东西，你都认识吗？
在学校里，你会怎么称呼这些东西呢？
想一想，
这些东西有几种不同的叫法？
和你的朋友一起玩一玩，
看看谁知道的叫法多。

电脑

计算机

图书在版编目(CIP)数据

快乐的学校／美国芝麻街工作室编绘；杨丕译．—武汉：湖北美术出版社，2011.10
（芝麻街趣味认知故事）
ISBN 978-7-5394-4451-2

Ⅰ.①快… Ⅱ.①美… ②杨… Ⅲ.①儿童文学—图画故事—美国—现代 Ⅳ.①I712.85

中国版本图书馆CIP数据核字 (2011) 第202719号
著作权登记号：图字 17-2011-178

快乐的学校

[美]美国芝麻街工作室／著·绘　杨　丕／译
策划编辑／佟　一　责任编辑／吴海峰　李陶兰
装帧设计／刘　莹　美术编辑／胡金娥
出版发行／湖北美术出版社
经　　销／全国新华书店
印　　刷／广东九州阳光传媒股份有限公司印务分公司
开　　本／889mm×1194mm　1/24　10印张
版　　次／2011年12月第1版　2011年12月第1次印刷
书　　号／ISBN 978-7-5394-4451-2
定　　价／68.00元（全十册）

策划／海豚传媒股份有限公司
网址／www.dolphinmedia.cn　邮箱／dolphinmedia@vip.163.com
咨询热线／027-87398305　销售热线／027-87396822
海豚传媒常年法律顾问／湖北立丰律师事务所　王清博士　邮箱／wangq007_65@sina.com